Le koala

Champion d'escalade

Texte de Valérie TRACQUI
Photos de l'agence BIOSPHOTO
Illustrations de Joseph CALLIONI

Collection dirigée par Valérie Tracqui

MILAN
jeunesse

Le pelage des koalas est plus ou moins long et épais, selon le climat de leur lieu de vie.

Haut perché

C'est la saison sèche en Australie. Il fait chaud et la forêt est calme. Même les perroquets se taisent. En haut d'un arbre, une petite boule de fourrure grise se met à bouger. C'est un koala, bien calé sur une grosse fourche. Sortant de sa longue sieste, il s'étire pour aérer sa fourrure. Pas trop vite ! Il a le temps. Il mange là où il dort et seulement quand il fait sombre…

Trois sous-espèces de koalas vivent à l'est de l'Australie. Ils habitent dans des forêts d'eucalyptus, des plaines aux montagnes.

Le koala n'a pas de queue : il n'a pas besoin de s'équilibrer pour sauter un mètre entre les arbres !

Bien équipé

Le koala est un parfait acrobate. Normal ! il passe toute sa vie dans les arbres. Pour grimper sur un tronc lisse, il monte d'abord les pattes avant, puis les pattes arrière.
Ho ! hisse ! Ses longues griffes s'enfoncent dans l'écorce et les coussinets de ses pelotes servent d'antidérapants. Pour la descente, prudent, il fait la même chose, en marche arrière.

Ses mains sont de puissantes pinces, formées de 2 doigts d'un côté et 3 de l'autre.

Aux pieds, il a un pouce sans griffes et ses 2e et 3e doigts sont soudés comme un peigne.

Son drôle de nez aplati s'appelle un rhinarium. On pense qu'il sert à régler la température de son corps, comme la truffe du chien.

Miam-miam

Le koala mange essentiellement des feuilles d'eucalyptus et pas n'importe lesquelles ! **Il les choisit avec soin,** selon leur odeur, leur aspect et leur goût. Ses préférées sont les jeunes feuilles, mais elles sont difficiles à digérer. Voilà pourquoi il a un très long intestin et un foie spécial. De plus, il se déplace très lentement, ce qui économise son énergie.

Il mange 500 g de feuilles chaque nuit et sent fort l'eucalyptus : comme les médicaments contre la toux !

Sur les 600 espèces d'eucalyptus, 35 sont comestibles. Et selon la saison, chaque koala se nourrit seulement de 2 ou 3 espèces.

Il coupe les feuilles
avec ses dents
de devant,
très pointues.

Le koala n'a pas besoin de boire,
car les feuilles qu'il mange
contiennent assez d'eau.

Danger !

Un jour, du haut de son arbre,
un koala sent de la fumée.
Déjà les flammes se rapprochent.
Il ne sait pas ce qui se passe
et reste immobile, essayant
de se cacher dans le feuillage.
Enfin la peur le saisit. Il descend
vite au sol et se met à courir !
Les chiens sauvages fuient aussi
le feu, heureusement. Ils laissent
le koala traverser la rivière
et atteindre une autre forêt.
Ouf ! il a eu chaud.

Le koala court par petits bonds. Il n'hésite pas à se
jeter à l'eau et à nager pour échapper au danger.

Les feux se déclenchent parfois tout seuls, pendant les grandes chaleurs. Ou bien, ce sont les hommes qui les allument, pour défricher de nouvelles terres à cultiver.

Enfin un arbre. Zut ! il est déjà occupé. Où aller ?

Les dingos, ou chiens sauvages, sont les seuls prédateurs du koala. Son goût est si fort !

Le domaine des mâles recoupe souvent celui de plusieurs femelles, mais les animaux évitent de se rencontrer.

Chacun ses arbres

Nuit et jour, le koala reste dans
ses arbres préférés, même sous
la pluie. Mais attention! Pas question
de laisser monter un intrus sur les
quelques eucalyptus de son territoire.
Le mâle frotte le bas des troncs avec
sa poitrine, pour y laisser son odeur.
Ici, c'est chez lui! En cas de rencontre,
le combat serait féroce. Mais c'est rare,
car les voisins sont prévenus…

Le koala ne fait pas de nid.
Sa fourrure imperméable suffit
à le protéger de la pluie.

Chacun connaît ses voisins
grâce aux odeurs qu'ils
déposent sur les arbres.

Si un concurrent s'approche,
le prétendant pousse un cri
agressif pour éviter la bagarre.

Soudain plus actifs,
les mâles marquent les arbres
et crient en se déplaçant.
Ils ont 8 cris différents.

Si elle est en chaleur,
la femelle répond
doucement par un cri
sexuel. Sinon, gare
aux morsures !

Brèves amours

La saison des amours débute à la fin du printemps, qui s'étale de septembre à janvier en Australie. Le mâle koala, d'habitude solitaire, patrouille sur son domaine à la recherche de femelles en chaleur. En apercevant un autre mâle au loin, il se met à gronder. Puis il ronfle comme un cochon pour attirer les dames. Charmée, l'une d'elles sautille sur place. C'est gagné, ils vont vite s'accoupler.

La rencontre a lieu en position verticale. Après un bref accouplement, le mâle s'en va.

L'embryon se hisse dans
la poche grâce à l'odeur...

Accroché à son « biberon »,
il va y grandir pendant 5 mois.

Quand le bébé est prêt,
il naît une 2de fois.

Naissance

Moins d'un mois après l'accouplement, la femelle lèche son ventre. Son tout petit bébé vient de naître une première fois. Mais il n'est pas plus gros qu'un haricot, tout rose et sans poil. Il doit grandir encore dans le ventre de sa mère, comme le bébé humain. Alors, il grimpe, les yeux fermés, jusque dans la poche maternelle. Là, il saisit très fort 1 des 2 tétines et ne la quitte plus. Il est à l'abri pour se développer.

Au début, le petit sort un peu sur le ventre de sa maman, puis retourne dans la poche pour téter.

Doux calins

À sa 2de naissance, le bébé mesure 15 cm et pèse moins de 500 g. Il est encore très fragile.

À 6 mois, le bébé koala est couvert de poils, mais il n'est pas bien gros. Avec ses pattes puissantes, il est quand même capable de s'agripper à sa mère. Au début, il sort à peine de la poche pour se nourrir. Comme elle s'ouvre vers le bas, il prend directement une bouillie de feuilles prédigérées, à l'extrémité de l'intestin de sa maman. Mais à 8 mois, il est trop gros et quitte la poche.

Cette maman a eu
un bébé tout blanc.
On dit qu'il est « albinos ».

Il ne peut plus rentrer dans la poche,
alors, elle lui fait des câlins tout doux.

Le petit s'habitue
progressivement aux
feuilles d'eucalyptus
que mange sa mère.
Plus tard, il mangera
les mêmes espèces.

Le jeune est comme un koala adulte en miniature. Il doit bien s'accrocher pour ne pas tomber. En même temps, il se muscle les cuisses.

Comme un grand

Chaque nuit, maman koala transporte son jeune sur son dos.
Selon les feuilles disponibles, elle passe d'un arbre à l'autre.
Il est lourd! Le voilà qui s'aventure à goûter quelques
feuilles tout seul, pas trop loin quand même.
Il doit apprendre à reconnaître celles
qu'il peut digérer.
Petit à petit, il devient
un bon acrobate.
Mais, comme sa mère,
il fait tout lentement…

Les contacts avec la maman sont nombreux. Cela développe l'odorat et le toucher du bébé.

Plus les koalas mangent de feuilles sur un arbre et plus les jeunes feuilles bien tendres repoussent.

Chacun sa vie

À 1 an, la jeune femelle se débrouille toute seule. **Elle s'éloigne de sa mère et choisit ses propres arbres.** À la prochaine saison des amours, les cris d'appel des adultes résonneront à nouveau dans la forêt. Si le jeune koala est un mâle, il sera alors chassé par l'amoureux de sa mère et devra trouver un nouveau domaine, parfois très loin…

Fini, les transports faciles ! Le jeune koala va parcourir parfois des kilomètres avant de trouver une forêt d'eucalyptus à son goût…

Sauver les koalas

Les koalas ont du mal à survivre. Ils sont victimes de maladies, souffrent des feux, sont écrasés sur les routes ou attaqués par les chiens. De plus, les forêts d'eucalyptus se font plus rares. Des hommes viennent à leur secours, mais ce n'est pas facile…

Les Australiens étudient la vie des koalas pour sauver l'espèce.

Chassés pour leur fourrure

Les Aborigènes d'Australie ont toujours chassé les koalas avec leurs arcs et leurs lances, mais ils les respectaient et n'en tuaient pas beaucoup. Il y a 150 ans, les koalas étaient encore des millions. Mais les Australiens se mirent à les tuer pour leur fourrure. Un vrai massacre pour ces animaux lents : jusqu'à 30 000 peaux étaient vendues chaque année. Enfin, les koalas furent protégés en 1927.

Malades des hommes

Les koalas sont des animaux très sensibles, qui supportent mal l'arrivée des hommes dans les forêts, avec leurs routes, leurs constructions, les touristes. Stressés, ils sont atteints d'une maladie qui touche leurs yeux et les rend stériles. Presque tous les koalas dans la nature sont frappés par cette maladie. La seule solution consiste à les élever dans des parcs.

Trop nombreux dans les parcs, ils abîment les arbres.

On pèse le koala et son petit sur leur fourche. C'est plus facile !

Hôpital pour koalas

Malgré les panneaux routiers qui invitent les automobilistes à ralentir, de nombreux koalas sont écrasés sur les routes. Les animaux blessés ou les jeunes orphelins sont recueillis dans un hôpital spécial où on leur donne de la nourriture et beaucoup d'affection. Ensuite, ils sont relâchés dans un parc ou une réserve. Dans la nature, les orphelins ne sauraient pas reconnaître les espèces d'eucalyptus qui leur conviennent.

Les cousins à poche

Le koala fait partie du groupe des marsupiaux, qui vivent en Océanie et en Amérique. Tous ne possèdent pas de poche. Certains habitent dans les arbres, d'autres à terre ou même dans l'eau. Ils ont des régimes alimentaires différents. En voici quelques-uns qui, comme le koala, vivent en Australie, dans les arbres, la nuit.

Le phalanger volant

Il possède un repli de peau qui rejoint ses poignets et ses mollets, ce qui lui permet de faire de longs vols planés (jusqu'à 100 m), d'un arbre à l'autre. Il mange de tout (sève, fleurs, nectar, insectes).

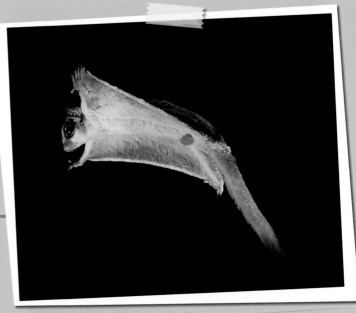

Le dendrolague

C'est un kangourou arboricole qui vit dans les forêts tropicales humides. Il saute d'un arbre à l'autre, à plus de 10 m. Contrairement aux kangourous qui vivent au sol, ses pattes avant et arrière ont presque la même taille. Il existe 7 espèces de dendrolagues, dont 2 en Australie.

Le couscous

C'est un animal nocturne, solitaire et lent, comme le koala et le phalanger. Mais il mange des fruits et des insectes en plus des feuilles. Sa queue est préhensile : elle peut s'enrouler autour des branches. Il existe 10 espèces de couscous.

Le ringtail

Il ressemble au couscous, avec sa démarche lente et sa queue préhensile. Mais il est plus petit et a une fourrure plus dense et soyeuse. Il est insectivore.

Quelques questions sur la vie du koala, dont tu trouveras les réponses dans ton livre.

Avec nos remerciements à François MOUTOU
de l'école nationale vétérinaire de Maisons-Alfort pour sa relecture scientifique.

Crédit photographique :

Agence BIOSPHOTO : R. SEITRE : couverture, p. 9 (hd), p. 14, p. 12 (b), p. 18 (m) ; J.-L. KLEIN et M.-L. HUBERT : 4ᵉ de couverture, p. 4, p. 8, p. 9 (hg), p. 10 (h), (b), p. 11 (b), p. 13 (bd), p. 16 (hg), p. 22, p. 23 (g et d), p. 24-25, p. 26, p. 27 (b), p. 28 (b) ; F. BRUEMMER : p. 6 ; M. HARVEY : p. 9 (b) ; A. MAFART-RENODIER : p. 11 (h) ; C. RUOSO : p. 12-13, p. 13 (bg), p. 15 (h) ; M. et C. DENIS-HUOT : p. 15 (b) ; J.-J. ALCALAY : p. 16 (hd), p. 17, B. MARCON : p. 16 (b) ; DANI/JESKE : p. 18 (h) ; J. CANCALOSI : p. 20 ; R. CAVIGNAUX : p. 21 (b) ; A. COMPOST : p. 28 (h).

Agence EYEDEA : J.-P. FERRERO : p. 6-7, p. 18 (b), p. 18-19, p. 27 (h), p. 29 (h) ; F. GOHIER : p. 21 (hg et hd) ; H. et J. BESTE/AUSCAPE : p. 29 (b).

Cet ouvrage a été réalisé par les Éditions Milan avec la collaboration de Sandrine DAVID (montage maquette) et d'Anne LESTERLIN (suivi éditorial).

www.editionsmilan.com